KB075978

수 필 정복기

발 행 | 2023년 12월 11일
지은이 | 박지환
펴낸이 | 한건희
펴낸곳 | 주식회사 부크크
출판사등록 | 2014.07.15.(제2014-16호)
주 소 | 서울특별시 금천구 가산디지털1로 119 SK트윈타워 A동 305호
전 화 | 1670-8316
이메일 | info@bookk.co.kr

ISBN | 979-11-410-5857-9

www.bookk.co.kr
ⓒ 박지환 2023

수필
정복기

박지환 지음

목차

머리말
수필을 마무리한 자랑스러운 나에게 편지쓰기

안녕 나 자신에게

일단 인생 첫 출판 축하해!

24주 동안 비록 쥐어 짜고, 투정도 부리고, 헛소리도 많이 적었지만, 그래도 그동안 한번도 늦지 않고 매주 성실하게 수필을 쓴 너가 대견스러워. 매주 주말 수필 주제를 보며 희미가 깔리고 또, 어떨 땐, 이걸로 8문단을 채울까?, 이번엔 어떤 말로 시작할까?

매번 고뇌에 빠져도 부족함 없이

끝맞임까지 잘한 너가 자랑스러워

매장 찡찡대며 이걸 언제 다 써 안해 등을 받아주신 부모님도 수고 많으셨습니다.

어떨 땐 ~~인터넷 베끼거~~ 아니,, 참고할 생각도 해보고 친구껄 베낄 생각도 했겠지만 그 생각을 행동으로 옮기지 않아 다행이야.

매주 짜증내고, 엎고 싶어도 번 돈으로 레코 ~~살 생각~~ 아니 좋은 일에 쓸 생각에 참아낸 네가 대견해.

처음 수필과 현재 수필을 비교해보면

글쓰기 실력도 많이 성장한 것 같아.

그럼 마지막으로

책 출간 축하하고 앞으로 꽃길만 걷길 바래!!

제 1화 새 학기

-6학년 생존기의 시작-

초등학교의 마지막 학년, 6학년 생활이 시작되었다. 설레는 마음으로 교실에 들어서니 친한 친구들이 대부분 다른반에 모여 있어 아쉬웠다. 매년 다른 친구들은 잘된 것 같은데 나만 잘 안된걸 보니 세상이 날 억까 하는 듯한 기분이 들었다.

회장이었던 나는 교실에 들어가 가방과 패딩만 두고 4반에 갔다 4반에 들어서니 다른 6학년 2학기 회장들이 있었다. 나는 그 친구들과 입학식을 도왔다. 입학식이 끝나고 교실에 들어서니 허지영 선생님께서 티쳐파시라는 게임을 반 친구들과 하고 계셨다. 나는 입학식 때문에 3문제밖에 못했지만 3문제를 모두 맞춰서 기분이 좋았다.

그 뒤에 선생님께서는 반 애칭을 정한다고 생각해오라고하셨는데 나는 전 수업시간에 의논해 나온 소수의 의견을 존중하자는 뜻의 A.M.O(Accept minority's opinion)를 의견으로 냈다.

그리고 대망의 투표시간 투표들이 흩어졌다. 다시 네잎클로반과 그리고 내 아이디어인 A.M.O으로 나뉘어었다. 나는 그냥 아무 생각 없이 냈는데 갑자기 많은 표가 뽑히자 심장이 두근거렸다 그리고 마지막에...! 결국 네잎클러반이 되었다. 아쉬웠지만 그래도 상당히 많은표에 1, 2, 3등안에 들어 기분이 아쉽지만은 않았다.

그리고 3, 4, 5학년때는 많이 만들지 못했던 추억을 6학년때 많이 만들어 마지막 초등생활이 아쉽지 않고 활기차고 보람차며 알차게 보내고 싶다.

제 2화 나를 소개합니다
-나의 소개는-

  이번 화에선 나도 많이 생각해 본 적 없는 나를 소개해보려고 한다. 일단 내 MBTI는 파워 ENFP로 외향적이며 상상을 많이 하며 잘 삐진다.

  또 내 장점은 E이기 때문에 매우 활발하며 친화력이 매우좋고 사람들을 많이 웃게 해준다.
  그리고 단점으로는 덜렁거리고 결정장애에 잘 삐져 쪼잔해 보일 수 있지만 처음에 욕을 쓰거나 놀리면 그 친구가 사과를 할때까지 같이 놀지 않는다.

  이번엔 내가 좋아하는 것과 싫어하는 것을 소개하겠다.
  내가 좋아하는 것은 검은색, 치느님, 게임, 레고 등이 있다.
  그리고 싫어하는 것은 해산물, 피망, 파프리카, 가지, 돼지 껍데기 같은 음식과 패드립, 기분이 좋지 않게 명령을 하는 것들이 있다.

그리고 내 꿈은 모든 사람들의 로망인 돈 많은 백수이다.

이제 마지막으로 나의 평생 트라우마인 유전자이다...

바로 아버지를 닮아 새치가 난 것 이다. 자세한 건 다음 편에 하겠다.

나도 나에 관해 설명 할게 딱히 없는줄 알았는데 쓰고 보니 꽤 있다는 것을 처음 알았다. 근데 다음에는 다시 생각 할 일 없을 것 같다.

제 3화 내 인생 최고와 최악의 사건

-내 인생 최고와 최악-

이번 화에선 내 인생 최악과 최고의 사건을 이야기를 해 볼거다. 일단 최악의 사건부터 말하겠다.

최악의 사건을 바야흐로 2학년 때 올림픽 공원에서 사촌과 놀고 있을때였다. 그때 자전거를 타고 있었는데 사촌이 술래잡기를 하자고 했다. 나도 재밌을 것 같아서 알겠다고 했다. 그때는 몰랐다.

그 술래잡기가 불러온 후폭풍이 최악을 날을 만들 줄 은.

자전거를 타고 도망가던 도중 쫓아오나 뒤를 보느라 앞에 도랑을 못 보고 자전거가 도랑에 빠졌다. 정신을 차려보니 도랑 모서리에 입을 벌리고 있었다. 입에서 피가 나왔고 영구치중 약간이 깨져있고 흔들리고 있었다. 무섭고 아팠지만 엄마에게 달려갔다. 내 얼굴을 본 엄마는 바로 얼음을 챙기고 택시로 갔다. 택시를 타고 성심병원으로 갔지만 그곳에선 다른 병원에 가라고 해 다른 병원으로 이동했다.

이를 본 택시 아저씨는 경희대학병원에 가라고 하셔서 경희대학병원에가 치료를 받았다. 그 후로도 가짜 이를 붙이고, 검사를 하는 등 지속적으로 대학병원에 가 치료를 받았다. 내가 아픈 것도 있지만 나를 본 어머니의 마음이 더 아프셨을 것 같다. 그때 부모님이 건강해져서 다행이라고 했단말은 들은 나는 부모님의 말을 잘 듣는 아이가 되겠다고 결심만 하는 금쪽이 뺨치는 아이가 되었다.

이번엔 내 인생 최고의 사건이다. 내 기억으론 이때도 2학년이었다. 2학년 여름, 매우 친한 형들이자 아버지의 친한 친구분들과 강원도 양에 있는 회사 숙소로 놀러갔다. 전에도 많이 놀러갔지만 그때가 가장 재밌었다. 금요일11시쯤에 도착해 새벽 3시까지 형누나들과 너프건전쟁과 브X스타즈를 하며 놀았다.

다음날 아침, 진짜의 시작이다. 아침에 참치마요를 먹고 12시쯤에 바다에서 3시까지 놀았다. 그리고 씻고 난 후 어른들이 소곱창과 소고기를 굽고 계셨다. 소곱창을 싫어하는 나는 소고기를 아주 맛있게 먹었다, 물놀이하고 먹으니 2배는 더 맛있었다. 점심을 먹고 형들과 브X스타즈와 클X시로얄을 하며 즐거운 시간을 보내다보니 저녁먹을 시간이 되었다. 어른들이 구워주신 삼겹살과 구운김치를 형누나들과 야무지게 먹고 2차 너프건 전쟁을 했다. 나이차이가 5살나는 형도 있었는데 정신연령이 5학년처럼 발랄

해서 지장은 없었다.

　그리고 저녁에 불멍을 하고 다시 게임을 시작했다. 2학년당시 하루에 게임을 15분이였지만 이럴 땐 무제한인 나에겐 꿈같은 시간들이였다. 게임을 하다가 새벽1~2시쯤에 잤다. 그리고 다음 날, 어제 남은 고기로 만든 김치찌개를 먹고 다시 물놀이를 했다. 그리고 물놀이가 끝난후, 아쉽지만 헤어졌다. 지금은 숙소가 사라져 더 값진 시간이였던 같다.

제 4화 우리 가족을 소개합니다

-나의 가족은 누구일까요?-

이번엔 내 가족 소개이다. 우리 가족은 아빠, 엄마, 누나, 나로 총 4명으로 구성 되어있다. 먼저 우리 가장인 아빠부터 소개하겠다.

집 안에서는 나무늘보 같지만 캠핑과 사진이 취미이신 Father 은 밖에서는 매우 활발하시다. 예전엔 캠핑을 많이 갔지만 요즘엔 누나가 사춘기가 오고 중학생이 되어 시험이 잦아지다 보니 많이 못 간다.

그리고 카메라는 어릴 때 이후로 기술이 발달해 아빠의 카메라 는 들고 다니지 않는다

앞서 말한 것처럼 아빠가 집에서 나무늘보 같아도 건들면 목숨 이 위험해 질 수 있으니 조심 해야한다. (위험도★★★★)_

다음은 Mother이다. 엄마는 12년 동안 일하시다가 내가 태어 나고 일을 그만두셔서 지금은 가정주부시다. 엄마는 중2+사춘 기온 누나의 말을 많이 들어주고 현재 사춘기가 오고 있는 현

6학년 잼민이이자 금쪽이인 내 말을 맞춰주느라 매일을 바쁘게 살아가시는 중 이시다.

마지막으로 인정하고 싶지 않은 누나다. 누나는 초등학생까지는 싸가지 없지만 꼼꼼한 모범생이였는데 중학생이 되니 그냥 덜렁거리는 학생이 되었다. 그리고 누나의 취미는 유튜브 보기로 공부할 때 마저 유튜브로 음악이나 영상을 보는 중학생이 되었다. 학생이 되었다.

때때론 싫지만 그래도 하나뿐인 가족인 것 같다.

제 5화 내가 만약 히어로가 된다면
-과연 좋을까?-

지금까지 아마 N이 아니라면 이런 생각을 하지 않을까 싶다.

그리고 난 왜 허구한 날 놀다가 늦은 밤에 쓰는가 싶다. TMI 가 궁금하지 않을 수 있으니 본론만 말하겠다.

내가 히어로가 된다면 지구를 위해 하고 싶은 일중 난 일단 여러 나라의 마피아나 조직들을 없애 대한민국과 내 명성과 돈 을 얻고 돈으로는 세계에서 많은 사람들과 나무를 같이 심게하 고 우크라이나와 러시아의 전쟁을 협박 같은 말로 끝내 버린후 한동안은 나라 일들을 도와줄 것 같다. 불 끄기, 극악무도한 범 죄자 잡기 등)

그리고 이젠 본격적으로 지구 온난화를 막을 것이다. 일단 구역 을 나누고 사소한 일들을 벌인 범죄자들을 바다 쓰레기를 치워 죄 를 면하게 하고 다른 구역엔 바다 쓰레기 치우는 것을 원하는 사 람들을 뽑아 같이 치우게 하고 그 정도의 대가를 줄 것같다,

그리고 다음엔 많은 사람들이 전기차를 타도록 유도해 연료 사용을 최소화 할 것이다.

다음으론 일회용품 사용을 대폭 감소시킬 것이다.

비닐 봉투 공장등을 사들이거나 없애 비닐 봉투를 없애게 하고 배달을 할 때는 에코 백을 사용하게 할 것이다. 솔직히 학교든 유튜브든 뭐든 과학자들이 아무리 말을 해도 어차피 대부분 사람들도 "헐 나도 이제~해야지"라고 말만 하거나 작심삼일이 끝일 것 같다. 그러니 탐욕 없는 히어로가 됐으면 좋겠다.

마지막으론 노숙자나 폐지를 주우시는 분들 돕기다. 우리나라부터 시작해 전 세계 노숙자분들이나 힘드신 분 들께 기본적인 의식주를 제공하고 그 사람들의 재능이나 원하는 일을 알려주어 직업이 생겨 노숙자나 폐지 줍는 분들이 없는 세상이 없었으면 좋겠다.

제 6화   내가 방정환 선생님이라면?

-나는 어린이날을 어떻게 할까-

　오늘은 어린이날이다. 어른들은 마지막 어린이날이라고들 하시지만 나에겐 조커 카드가 있다. 바로 만 나이이다. 그러므로 중1까지 어린이날 선물을 받을 수 있는 것이다.

　어쨌든 생각만 해도 신나는 본론으로 넘어가겠다. 만약 내가 소파 방정환이라면 일단 매우 폭파하고 싶은 학원부터 건들 것이다. 일단 학원을 의무적으로 1주일 휴원하게 만드는 것부터 시작해 휴원하는 기간 동안 숙제는 조금만 내게 하고 악덕학원을 대비해 기간이 끝나도 그 달에는 시험을 안 보게 할 것이다.

　그리고 다음은 학교다. 학교도 일단 1주일 휴교하게 하고 숙제도 없게 하며 휴교하기 전 마지막 날에는 평범한 운동회 말고 콘서트, 물총 파티 등을 추가해 더 특별한 행사를 추가하고 싶고 그날 급식은 어린이날 기념 최고의 급식메뉴들로 구성 되게 하고 싶다.

그리고 다음으로는 저소득층 아이들에게 일정 금액 이하의 원하는 선물을 주고 싶다. 어린이날이어도 선물을 못 받을 수 있는 아이들에게 어린이날이 기대되도록 만들고 싶기 때문이다.

다음으로는 나 같은 금쪽이들은 싫어할 수 있는 글쓰기 대회 & 역사 대회를 열 것이다. 요즘 많은 아이들이 역사를 거의 모르고 독서 따윈 절대 안 하는 것 같아 이런 대회를 만들고 싶다. 유튜브에서 잼민이..아니 아이들을 대상으로 역사 퀴즈를 했는데 매우 쉬운 문제를 틀린 아이들이 수두룩 했다. 물론 물론 나도 게임을 많이 하지만 저건 너무 심각한 것 같아 역사 대회는 꼭 열고 싶다.

마지막으로는 행사이다. 일단 장난감(레고, 로봇 등), 그리고 옷, 그리고 나처럼 대부분의 아이들이 너무 좋아 미쳐 날뛰는 문제집 등을 할인하게 만들 것이다. 그리고 유치원생들이나 유아들, 그리고 저학년들이 좋아하는 동물원은 5일 하루에만 아이들을 무료입장으로 바꿀 것이다.

분명 상상할 땐 많았는데 막상 써보니 딱히 쓸게 없는 것 같다.
그럼 이번 화는 여기서 마치겠다.
TO BE CONTINUE

제 7화   만약 내가 나의 부모님이
된다면?
-자 이제 누가 어른이지?-

이번 주제는 한 번씩 생각 해봤던 것 같은데 막상 생각해 보니 또 이번 주제에 대해 생각해 본 적이 없는 것 같다.

내가 만약 나의 부모님이 된다면 엄마부터 말하겠다. 일단 엄마는 1순위로 엄마의 취미를 찾아주고 싶다. 현재 우리 엄마는 각종 집안일로 인해 취미가 없으시다. 가끔 책을 읽으시지만, 취미는 아니신 것 같다. 물론 집안일도 도와드려야 취미를 찾으실수도 있으시겠지만 게임에 찌든 난 마음속에서만 하고 있다.

그리고 이사를 갈 것이다. 그 다음 조금씩 조금씩 열을 높이기 위해 서울로 짜증이 폭발하진 않지만 똑똑해지도록 학원을 끊을 것이다. 그리고 숙제할 때 잔소리도 하지 않고 밥 먹을 때도 공부 얘기를 하지 않을 것이다. 키키킥... 물론 엄마는 세 남매이기 때문에 엄마 말고 다 밸런스를 맞춰가며 말이다. 그렇게 엄마를 사회의 훌륭한 인물로 만들고 싶다.

그리고 다음은 아빠다. 아빠는 현재 아빠에 공부만 더 시키면 최고의 아빠가 되지 않을까 싶다. 최근에 아빠의 중학교 친구가 와서 아빠께서 썰을 풀어주셨다. 들어보면 공부를 적게 한 것 같진 않은데.. 큼 그리고 나는 아빠와 게임을 같이 해주고 싶다. 다른 부모님들을 보면 대부분 게임을 좋아하셔서 같이 해주시는데 우리 부모님은 게임을 별로 좋아하지 않으셔서 게임을 할때 좀 외롭다. 같이하자고 하면 안 한다고 한다. 그리고 나중에 장난식으로 다리에서 주워 왔다고 하면 진짜인가라는 생각도 좀 든다. 누굴 닮아서 게임 쳐돌이인지.. 물론 게임을 같이 할 때도 중독은 되지 않게 말이다.

그리고 부모님에게 부모님이 원하는 체험을 해 다양한 경험을 해볼수록 하고 싶다. 아빠는 예전엔 귀했던 놀이공원 가주기, 엄마는 원하는 연예인을 볼 수 있게 해주는 등 많은 체험을 해 많은 추억을 쌓도록 하고 싶다. 그리고 또 마지막으로 심하지 않고 적당한 관심을 주고 싶다. 학교에서 가해자나 피해자가 되는 건 아닌지, 아니면 누가 학교폭력 당하는 걸 본 적 있는지 등 커서 사회생활에 문제가 없도록 해주고 싶다.

분명히 다른 아이들이나 과거에 나는 대부분 게임이나 놀기에 관한 것만 생각이 났는데 막상 다 쓰니 왜 공부가 있는지 모르겠다. 아마 대한민국의 학구열 때문이 아닐까 싶다.

TO BE CONTINUE

제 8화 속담을 이용한 러브스토리

-어멋 부모님의 러브스토리!?-

2005년 6월 17일 여름이 다가오던 따뜻한 어느 날이었다. 나는 친구들을 따라 2:2 소개팅에 구경하러 갔다. 친구들과 소개팅 장소에 가보니 남자쪽에도 1명이 더 있어 3;3이 딱 맞춰졌다. 그래서 같이 보드게임도 하고, 음식점에 가 술 게임도 했는데 하필 내가 걸렸다.

제 눈에 안경이라더니 그때부터 그 남자만 보였다. 식사를 마치고 헤어진 후에, 그 남자가 헤어진 곳에서 먼 집인데도 불구하고 나를 집까지 데려다주었다.

2005년 10월 어느 날이었다. 우리 회사가 부서 이동으로 큰 회사로 옮기게 되었다 부서 이동으로 잦은 야근과 철야에도 불구하고 그 남자는 열 번 찍어 안 넘어가는 나무 없다고 생각했는지 매일 나를 집까지 바래다 주었다. 그 외에도 너무 잦은 야근가 철야로 응급실도 많이 갔는데 그때마다 많은 걱정과 위로로 곁에서 항상 있어 주었다. 그때부터 자연스럽게 사귀게 되었다.

2006년 7월 무더운 어느 여름날이었다. 이런 한여름에도 나는 그 남자와 야구장, 농구장, 영화관, 식물원 등 다양한 곳으로 데이트를 했다. 그리고 오늘, 나는 그 남자와 롯데월드에 갔다. 그 남자는 서울에 살면서 처음 가본다고 했다. 그곳에서 즐겁게 지내고 몇 주에는 자연농원(현재의 에버랜드)에 가기로 했다. 나는 괜히 잘 탄다고 허세를 부리다가 t-express, 바이킹 등을 타고 정신을 차려보니 무서웠는지 입술이부터 탔다. 그 이후로 창피한 나는 놀이공원에 가지 않았다.

2006년 8월 어느 날이었다. 그 이후로도 많은 데이트로 서로 사랑을 쌓게 되고 나중에 결혼을 생각했다. 천리 길도 한걸음부터라고 상견례를 했는데 서로 만족한 것 같았다.

2006년 9월 여느 때처럼 평범한 어느 날, 회사가 끝나고 집에 왔다. 집에 비밀번호를 누르고 들어가니 집이 어두웠다. 같이 살던 친오빠도 보이지 않았다. 방에 있나 하고 방문을 열어보니 하트모양으로 촛불이 있었고 꽃, 그리고 그 남자가 있었다. 그때, 그 남자가 말했다. "나랑 결혼 해줄래?"

2006년 11월 25일 한겨울 같은 날, 날씨도 우리의 반겨 주듯 우리가 결혼 할때의 날씨는 봄처럼 따뜻했다. 그렇게 결혼까지 골

인하고 신혼여행을 다녀왔다. 앞으로도 이런 나날들을 보냈으면
좋겠다.

제 9화 내가 우리반을 사랑하는 이유
-음..어.....-

오늘은 6-4반에서 선생님과 친구들을 만난지 100일이 된 날이다. 그래서 그런지 이번 주제는 " "내가 우리반을 사랑하는 이유 "이다. 6-4반에서의 학교생활을 되돌아보니 지능캐가 되고 싶었던 나는 빼박 개그 캐가 되어있었다. 쓰읍.. 어쨌든 지금부터 내 우리반을 사랑하는 이유를 소개하겠다!

첫 번째, 바로 선생님이다.
솔직히 첫 인상이 마냥 좋지만은 않았는데 하루하루가 지날수록 선생님의 열정과 우리들에게 관심과 사랑이 많으신 것을 느꼈다. 또 대부분의 선생님들은 수학 시험지를 다운? 받으시는 걸로 아는데 선생님은 선생님이 직접 가르쳐주신 내용으로 시험지를 만들어서 그 시험지로 수학시험을 봤다. 또 동기부여도 자주 해주셔서 하루하루가 즐겁다.

두 번째는 바로 우리반의 자랑거리다.

우리반의 가장 큰 자랑은 담임선생님이시지만 다른 자랑거리도 소개하겠다. 일단 첫 번째, 바로 최인혁님이 머리를 기르는 것이였다. 처음엔 그동안 남자가 장발인 것을 거의 본 적이 없어 거부감이 들기도 했지만 머리를 기르는 이유가 소아암 환자들에게 기부한다는 말을 들으니 갑자기 멋져 보이기도 했다.

세 번째, 우리반의 장점이다.

우리반은 대부분의 친구들이 엄청난 친화력을 갖고있다는 것이였다. 그래서 2주만에 대부분의 친구들이 친해졌고, 우리반 친구들을 잘 웃기는 친구들과 잘웃는 친구들이 많아 화목하게 보일 수 있는 반이 되었다. 그리고 마지막은 우리반은 매달 생일파티를 하기 때문에 좋다.

네 번째는 여러 가지 대회이다.

현재까지 우리반은 여러 가지 대회를 했다. 속담대회, 논설문대회, 역사 등 5~6차 정도 했다. 컴맹이였던 나는 엄마에게 천천히 배워서 ppt, 미리캔버스로 역사 대회를 했지만 노력상에 그쳤다. 그 후에도 넘사벽인 친구들로 상은 받지도 못했다....큭

다음, 다섯 번째는 여러 가지 활동이다.

우리반은 전에 해보지 못했던 역사 활동을 해보았다. 구체적으

로 말하자면, 4.19혁명, 5.18민주화운동, 6월 민주화 항쟁 등을 실제로 연극처럼 해보니 더 실감 났다. 또 이번 어린이날 전에는 구슬치기, 딱지 치기, 알까기 등 추억 놀이도 하고 그때 그 시절의 간식도 먹었다.

마지막으로 친구들이다.
아까 말했다시피 우리 반 친구들에겐 엄청난 친화력이 있다. 그래서 대부분 활발하다 다소 폭력적인 여자의 성별을 가진 친구도 있지만 없는 것보단 나았다. 또, 웃긴 친구들이 많아 날 자주 웃게 해줘서 우리 반이 좋다.

제 10화 아침에 눈떠서 학교에
오기까지
-프라이버신데..-

오늘은 내가 침대부터 교실까지 가기 전 일어나는 일들을 일기식으로 풀도록 하겠다. *주의 매우 지루할 수 있음*

귀에서 어떤 소리가 자꾸 들린다. 자세히 들어보니 엄마가 R깨우는 소리다. 나는 한번 잠들면 누가 업어가도 모를 정도로 깊은 잠에 빠져 누가 깨우지 않는 이상 일찍 일어나기 힘들다. 주말이나 좋은 날에는 일찍 일어나긴 하지만 오늘은 딱히 특별한 일이 없기 때문에 평소 평일처럼 부모님이 깨워주셨다. 칠흑같은 어둠에서 눈을 뜨니 빛이 내 눈을 테러했다. 일어나기 싫어서 모두가 한번 쯤 외쳐봤을 '5분만'을 시전하지만 어림도 없지 일어난 시간이 대부분 8시 5분쯤이라 바로 일어난다.

침대에서 일어난 후 잠을 깨기 위해 화장실로 갔다. 찬물로

세수를 하고 입을 헹군 다음 볼일을 본다. ~~아 이거 프라이버선 태~~

그리고 식탁에 앉아 핸드폰을 보며 아침밥을 먹는다. 그리고 밥을 다 먹고 또 화장실에 간다.

화장실에서 양치를 한 후 아까와 다른 또 다른 볼일을 본다.

그리고 핸드폰에 온 카톡, 웹툰, 문자 등을 확인한 후 유튜브 쇼츠를 보고 나서 옷을 갈아 입는다. 옷을 갈아입은 후 나 자신을 한탄하며 영어, 수학 학원 가기 싫다고 찡찡거리다 역으로 잔소리를 듣는다.

그리고 나가기 2분 전, 학교 알림장을 보며 준비물은 챙겼는지 확인하고 물통, 개인 수저를 챙긴다. 개인 수저는 3학년때 코로나가 터저 찜찜해서 개인 수저를 들고 다녔는데 그냥 어쩌다보니 3년째 들고다니고 있다. 그리고 마지막으로 숙제를 확인한다, 솔직히 숙제는 안해도 당장 할수도 없지만 학교에서라도 하기위해 확인한다.

알림장을 확인한 후 집을 나와 등교를 하러 간다. 우리집은 근처에 집이 별로 없고 가게들이 많아 같이갈 친구가 거의 없어 집을 나올 때 친구가 보이면 같이가고 안보이면 그냥 혼자간다. 그렇게 학교에 도착하기 5초전 휴대폰 전원을 끄고 교실로 올라가 즐거운 학교생활을 시작한다.

이번 주제를 쓰며 내가 아침을 무의미하게 보내고 있었던 것 같다. 이제부턴 매일 보는 스마트폰을 줄이고 부모님과 말도 많이 하며 그저 무의미한 시간을 보내지 말고 부모님과 수다도 떨며 의미 있는 시간을 보내야겠다.

제 11화   이해할수 없는 어른들의
말과 행동
-...예?-

일단 첫 번째. 전에 어릴 때 들었던 가장 충격적인 말은 바로 "너 다리 밑에서 주워 왔어". 어렸을 때 말을 안 들을 때마다 몇 번 "너 사실은 다리 밑에서 주워 왔어"라는 말을 듣고 충격과 부끄러움이 몰려왔다. 맨날 집에서 옷 입는걸 좋아 하지 않아서 벗고 다녔는데.. 믿지 않자 더 정확하게. "안양천 오금교 3번교가"라고 매우 구체적이게 말해 주어 그때 많이 울었던 기억이 난다.

두 번째는 핸드폰에 대한 것이다. 매일 내가 1~2시간 정도 보면 "너 지금 많이 봤어 그만 봐"라고 하신다.(물론 그만 보진 않는건 안 비밀.) 부모님은 핸드폰을 더 많이 보신다. 그래서 그것에 대해 이의를 제기 하지만 그때마다 "너는 애고 나는 어른이야"라고 하며 본전도 못 추리니 그냥 조용히 있어야한다.

세 번째는 "차린 건 없지만 많이 먹어"이다. 주로 할머니집이나 친척집에서 듣는다. 하지만 상을 보면 상다리가 부러질 만큼 차려져 있다. 하지만 나는 편식쟁이여서 정작 내가 먹을 것은 거의 없는 것 같다는 생각에 다른 뜻으로 이해가 가긴 한다. + 그걸로 끝나지 않고 다과도 주신다.

네 번째는 사람들과 부를때다. 보통 친한 엄마들끼리 엄마, 아빠끼리도 절대 부르지 않는 "자기야"나 그 부모의 자식이름을 붙여 "○○ 엄마"나 "○○ 아빠"라고 부른다. 그리고 보통 엄마가 나를 부를 때 ○○아~라고 하지만 언성이 높아지며 성까지 붙이면 엄마가 화난 것 같아 내가 잘못한 것 없는지 등 오만가지 생각이 든다.

다섯 번째는 음식이다. 엄마는 매일 내게 패스트푸드, 불량식품은 건강에 안좋다며 먹지 말라고 하면서 엄마, 아빠는 소주, 맥주, 와인 등을 몸에 매우 안좋은 갖가지 음식들을 안주로 드신다. 또 할머니, 할아버지, 부모님은 삼계탕, 대구탕 알탕 등 뜨거운 음식을 먹으며, "시원하다"~라고 하신다.

마지막, 다섯 번째는 "너는 누굴 닮아서 ~ "과 비교이다, 엄마 아빠는 한번씩 "너는 누굴 닮아서 공부를 못하니?" "너는 누굴 닮아서 이렇게 말을 안 듣니" 등 "누굴 닮아서"라는 말을 붙여서 말하신다. 이럴 때 "엄마, 아빠 닮았겠지"라고 하면 반박하고 싶

은건 안 비밀

  그리고 또 비교이다. 친구 ○○는 엄마말 잘 듣는데 너는 왜 말을 드릅게 안듣니? 라고 하시거나 "친구 ○○은 수학학원, 영어학원, 태권도 등 다 다닌다고 비교를 하신다. 또 다음엔 비교안한다고 하시고 또 비교를 하시며 거짓말까지 치신다.

제 12화 내가 참 괜찮은 사람이라고 생각될때

-내가 제일 잘나가-

첫 번째는 내가 게임 , 유튜브 , 웹툰 등의 미디어를 적게하거나 안할때다. 코로나 이후로 게임폐인이 되었는데 미디어 말고, 보드게임, 레고, 취미 등의 활동을 하며 게임을 거의 안하며 시간을 보낼 때 나 자신이 뿌듯하고 폐인이 아니라 나 자신을 제어힐 줄 아는 몸 괜찮은 사람이라고 생각한다.

(+부모님 잔소리 전에 끌때도)

두 번째는 *착한* 아이...는 아니지만 효도를 할때이다. 나는 부모님 생신이나 어버이날에 부모님이 좋아하시는 꽃이나 화장품 등의 많은 선물을 사드린다. 이럴 때 진짜 나 과장 좀 많이 보태서 심청이 같은 효자라는 생각이 든다. 또 부모님 두분 다 다른 방법으로 애정표현을 해주셔서 그런지 나도 많이 하는 것 같다. 이건 당연한거라고 생각 할 수 있지만 *춘기 춘기 사춘기*가 왔음에도 불구하고 한거니 어쨌든 나름 괜찮은 사람이라고 생각한다.

세 번째는 친구이다. 새학기가 시작되고 얼마 지나지 않아 또 새로운 친구를 사귀는 친화력을 발휘할 때 내가 게임 폐인이 아니라 어쩌면 괜찮은 사람이라는 생각도 든다. 또 지금은 더더욱 *춘기 춘기 사춘기*로 안그런거 같지만 예전에는 친구들과 다투면 내가 먼저 사과를 해 웬만한 다툼은 빨리 해결이 되었던 것같다.

네 번째는 가족에 관한 것이다. 나는 두 번째에 말했다시피 많은 선물을 사는데 돈을 아끼지 않는다. 그 외에 부모님이나 누나가 시키는 심부름도 별 군말없이 한다. 이럴땐 딱히 괜찮은 사람이라고 생각한적은 없지만 지금 생각해보니 좀 괜찮은 사람 같다 + 지면 엄청난 굴욕을 맞보게 해주는 아빠를 오목으로 이기면 놀릴 때의 짜릿함과 똑똑한 아빠를 이겼다는 생각에 내 머리가 쓸만한 머리라는 생각이 든다.

다섯 번째는 공부에 관한 것이다. 4학년 때까지는 영어도서관이나 사고력 학원만 다녀 맨날 놀고 공부를 못하는 아이라고 생각했는데 5학년때 집근처 학원에서 첫 시험으로 1등을 하고 대형학원에서도 처음이자 마지막이 될 1등을 해 많은 레벨을 점프해 평타는 치는 아이라고 생각했다. 지금도 시험을 통과하면 내가 괜찮은 아이라고 느낀다.

마지막 여섯 번째는 내가 해야할 일을 끝낼 때이다. 영어숙제,

수학숙제 등의 숙제를 끝낼 때 산의 정상까지 올라 갈 때 등 내가 해야 할 일을 끝내면 마음 한 구석에 있던 불편함이 사라지며 "이 어려운 걸 끝내다니 나좀 하네?"라는 생각이 든다. 물론 어려운 걸 풀기만 했다는 거지 맞았다고 한적은 없다.

제 13화 뉴스아나운서가 되어

세상이 일어났으면 좋겠는일 소개

-?? : 이 세상은 이제 제껍니다. -

클로바 공화국 뉴스 보도를 시작합니다. 안녕하십니까? 그동안 기체 후 일향 만강하셨는지요. 그럼 보도를 시작하겠습니다.

첫 번째는 역사적 순간입니다. 바로 우리 성일초 6-4반(클로바 왕국)이 으쓱 100개를 달성했습니다. 이는 확률로 가능하여 클로바왕국 실록에 길이 남을 사건입니다. 현재 클로바 친구들 모두가 으쓱 100개 달성을 환호하고 있습니다.

그 다음으로 ??년간 휴전중이던 남한(남조선)과 북한(북조선)이 드디어 통일을 했습니다. 곧 판문점에서 북한 위원장과 남한 대통령이 만날 예정이며 그 후 이산가족 상봉이 진행될 예정이며 현재 남한 국민들이 꿈은 이루어진다☆라는 플랜 카드를 들며 애국가를 부르며 통일을 기뻐하고 있습니다.

세 번째 소식은 세계에서 사*교*육의 대부분을 감소시키거나 폐지했습니다. 이로 인해 꼴찌였던 우리나라의 어린이 행복지수는 현재 매우 빠르게 올라가고 있으며 학부모들의 행복치수도 조금씩 증가하고 있습니다. 현재 고등학교, 중학교의 공부율은 감소하고 독서활동을 늘렸으며, 학원은 폐지한다고 UN이 밝혔습니다.

네 번째로는 정부가 "2019년 12월 17일부터 꾸준히 괴롭혔던 코로나가 6개월 후 완전히 사라질 것"이라고 밝혔습니다. 이제 PCR검사와 자가격리는 폐지될 것으로 보입니다. 여담으로 우리 조선민주주의 인민 공화국 보도에서 코로나가 끝나면 마스크를 벗는다. VS 벗지않는다. 라고 조사를 한 결과 40%가 벗지 않는다고 밝혔습니다.

다섯 번째는 보도입니다. 32강 우루과이와의 경기에서 3:2으로 승리 스페인과의 경기에서 1:3으로 패배, 오스트리아에서의 경기에서 4:2로 승리해 스페인과 16강에 진출했습니다. 그리고 1616강 일본과 한일전에서 3:1로 승리해 관중들의 환호가 이어지는 가운데, 내일 아르헨티나와 8강 경기가 시작됩니다.

마지막, 여섯 번째는 소식입니다 "정일이가 정은이에게"라는 곡과 함께 발라드 가수로 데뷔해 1주일만에 차트 2위를 기록한 김리후가 "날봐 빛이 나잖아"라는 곡과 함께 "리후 등장 이라는 아이돌로 데뷔했지만 맞지 않아 꽹과리 소리가 나는 고음 박자, 그리고 가장 큰 얼굴을 공개하자 한껏 인기였던 김리후는 폭망해 자취를 감추었다.

이번 주제가 어렵고 6문단과 7문단은 차이가 크게 없을 줄 알았는데 주제도 어려워 가장 오랫동안 수필을 쓴거 같다. 이번에 버거웠지만 써보니 생각보다 재밌었던 것 같다.

제 14화 나의 여름방학 계획

-보기좋은 여름방학 계획이 실천하기에 안좋다-

첫 번째는 체험이다. 이번 여름방학은 무려 4주같은 고작 4주정
도이니 다 못갈수 있지만 보기라도 좋게 일단 써야겠다. 일단 역
탐(역사탐구) 체험이 있으면 지루할 수 있는 것이 아닌 흥미로울
것을 신청하고 대부분 방학 첫날부터 해 상쾌한 아침이 아니라
"내가 뭐하러 신청했지"라는 감정으로 아침을 맞아 역탐가고 멀어
서 못 갔던 매헌 윤봉길 의사기념관에 갈 것이다. 그리고 재밌게
보았던 불편한 편의점 뮤지컬을 보러 가겠다.

두 번째는 복습이다. 솔직히 거의 안 하겠지만 미래의 내가 철
이 들어 할지도 모르니 써놓겠다. 일단 잘 모르겠는 과목인 과학
을 인강이나 교과서로 다시 복습해봐야겠다. 절대 수업시간에 집
중 안 한 거 아니다. 그리고 다음으로 배웠던 단원을 한번씩 복습
해주겠다. 하~진짜 알차다.

세 번째는 예습니다. 복습이 있으니 예습도 있어야겠죠? 일단 방학이여서 놀아야하니 무리는 하지 말아야겠다.^ㅇ^ 대충 다음학기 훑어봐야겠다. 다음 학기 훑어보는 걸로 예습 끝내면 양심의 가책이 찔리니 수학도 예습을 좀 해봐야겠다. 어쩌피 학원에서 시킬거지만...

네 번째는 생활패턴 고치기이다. 일단 지금 내 생활패턴을 보면 뜯어고쳐야 할 판이다. 방학때면 12~새벽에 자 11시에 일어나는 하루를 반복한다. 혹시 저만 그러는건 아니죠? 어쨋든 이제 곧 중학생이니 늦게 자고 늦게 일어나는 습관을 좀 일찍 자고 일찍 일어나는 습관으로 고쳐야겠다. +혼자 일어나기

다섯 번째는 여름방학 계획으로 독서다. 원래는 선생님께서 독서 감상문 숙제를 주지 않으면 들여다 보지 않지만 예비 중학생이니 조금이라도 해봐야겠다. 일단 재밌는 독서인 만화책 신권을 구매하고 보고싶은 만화가 있으면 만화카페에 가서 읽어야겠다. 그리고 재밌는 소설 2~3권 읽어준다는 계획을 세우고 역사책도 좀 읽어야겠다. p.s 선생님께서 이거 보시고 독서감상문 숙제 내주시는 아니죠?

여섯 번째는 여름방학 계획은 운동이다. 일단 농구학원을 가고 끝나면 좀 쉬고 친구들 좀 불러서 배드민턴을 쳐야겠다. 옛날에는 배드민턴이 노잼이었는데 친구들이랑 하니 재미었다. 몸 운동만

하면 안되니 게임으로 손가락 운동도 해주고, 쇼파위에서 TV보며 숨쉬기 운동도 해주겠다.

마지막 일곱 번째는 가장 행복한 놀기이다!! 영어학원 방학때 친구네집에 놀러가야겠다. 가서 대부분 게임만 할거지만 집에서 보톡(보이스톡) 걸고 하는거랑 엄연히 다르니 엄마! 게임만 할거면 뭐하러 가냐고 하지 마세요~ 아무도 날 막을 수 없다. 또 집에서 디즈니 플러스랑 넷플릭스 영화도 감상하며 알찬 방학의 마지막을 보내야겠다.

맨날 종이에 원그래프로 여름방학 계획만 썼는데 이렇게 수필로 써보니 원그래프 계획표보다 나은 거 같다. 벽에 걸수 없어 자주 볼일 없으니 어쨌든 이번 수필 여기서 마치겠다.

제 15화 탄생일화를 바탕으로 나의
위인전
-박지환전-

옛날 옛적에 김씨는 김씨의 친구를 따라 2:2 소개팅을 갔어. 가보니 남자 쪽에서도 한명이 더 있어 어쩌다 보니 3:3이 되었지. 같이 보드게임도 하고 식사도 하다가 헤어졌어. 다음날 김씨는 소개팅에 대한 생각이 없었는데, 회사에서 퇴근하고 보니 회사 앞에 박씨가 있는거야. 그 이후로도 계속 데릴러오니 자연스럽게 사귀게 되었고 1년 반만의 연예 끝에 박씨의 고백으로 김씨와 박씨는 결혼을 하게 되었지.

결혼을 한지 2년후 김씨는 첫째를 낳았고, 1년후 둘째를 임신했지. 김씨와 박씨는 이 아이가 건강하길 바라는 마음에 이 아이의 태명을 "건강이"라고 지었지. 그렇게 10개월 후 김씨와 박씨는 둘째를 낳았어. 그리고 그 아이의 이름을 복지(祉) 빛날 환(煥)으로 하늘에서 행복이 내리고 밝게 빛나라는 뜻이었어.

지환이는 어려서부터 엄마 껌딱지였어. 엄마가 화장실에 들어가면 화장실 문 앞에서 울고 위층에 가시면 엄마 어디 가셨냐며 대성통곡을 하는 등 엄마가 보이지 않으면 울었지. 그렇게 4살이 되어 갈쯤 지환이는 아빠와 부자캠핑을 하러 가고 나서 엄마 껌딱지는 차츰 좋아졌지. 그리고 껌딱지로 못 갔던 어린이집을 갈 시간에 지환이가 좋아했던 공룡박물관, 미술관 등의 많은 체험을 했어.

그리고 5살 때 유치원에 들어갔지. 유치원은 추첨으로 들어갈 수 있었는데 지환이의 누나가 이미 다니고 있어 그냥 추첨 없이 들어갔어. 하지만 엄마 껌딱지가 아예 사라진 건 아니여서 한두 번만 때를 썼지만 3살 때부터 친했던 친구 덕에 엄마껌딱지는 사라졌어. 지환이는 유치원에서 독서, 체육, 숲체험 등의 활동을 했어. 그리고 매주 금요일마다 친한 친구 동생, 누나, 형들과 북클럽이란 활동을 하며 유치원 생활을 보냈어.

그리고 지환이는 초등학교에 입학했어. 1학년때 지환이는 짓궂었지만 글씨는 정말 명필이였어. 또 달리기도 빨라 계주에 나갔었어. 그리고 2학년이 되어 우등생 친구를 사귀어 만화를 같이 그리고 또 계주가 되어 뒤처져있던 우리팀을 다시 올려세워 환호성도 받았지. 하지만 불행히도 3학년이 될 때 코로나가 닥쳐왔어. 이로 인해 집에서 나갈 수 없어 게임만 하다 보니 달리기 실력도 많이 저하되었어. 그리고 저학년이 끝났지.

그리고 4학년이 되었어. 그때도 3학년 때와 다를 바 없었지. 대부분 온라인 수업을 하고 학원도 다니지 않으며 쉬었어. 그렇게 어느때와 다르지 않았던 8월 외할아버지가 돌아가셨다는 소식을 들려왔어. 처음으로 가까운 사람이 죽었다는 게 실감 나지 않아 며칠 동안은 외할아버지께 메모장에 편지를 쓰곤 했어. 그렇게 5학년에 올라가니 코로나는 차츰 잠잠해지기 시작해 본격적으로 대면수업을 시작했어. 그리고 6학년이 되었어. 선생님은 다른 대부분의 선생님과 다른 방식으로 수업을 하셨어.

초등학교 생활을 끝내고 중학생이 되었어. 지환이는 1년동안 놀다가 첫 시험점수를 보고 충격을 먹었어. 그때부터 지환이는 열심히 공부를 해 대부분 전교10등안에 들며 고등학생이 되었지. 고등학생이 되고도 열심히 입시공부를 해 서울의 K대에 들어갔지. 그곳에서 들어갔어. 처음에는 열심히 공부를 했지만 점점 공부를 안하기 시작하다 마지막에 겨우 졸업했어.

희망하는 회사에 취업서류를 내봤지만 대학생때 놀았던 탓 인지 모두 불합격했어. 그 충격을 받은 지환이는 그때부터 3년동안 공부만 해 연구원으로 취직했어. 그리고 4년후, 지환이는 상온 초전도체를 성공시키는데 큰 기여를 했어. 상온 초전도체는 세계의 모든 연구원들이 실패한 아주 어려운거였거든. 그 후 세계가 뒤집혀진후 우리나라는 천문학적인 수출액으로 환율이 엄청나게 올라 지환이는 대한민국 역사에 큰 획을 그으며 편한한 노후를 보내며 살았지

제 16화 하루 중 내가 행복한 순간

-언제인가?-

　이번 주제는 하루 중 내가 행복한 순간이다. 솔직히 쉬울줄 알았는데 그것은 경기도 오산이였다. 행복한 순간이 뭐있나 고민하는데만 1시간이 넘게 걸렸다. 처음엔 시간을 날렸다고만 생각했다. 하지만 매일 특별한 생각없이 살아가던 하루에서 행복한 순간을 생각해보니 마냥 시간을 날린 것 같지는 않은 것 같다.

　일단 첫 번째는 대부분이 좋아할 게임이다. 게임은 대부분 학교, 학원, 숙제가 끝나는 밤 10시쯤에 많이 한다. 이때 친구들과 배그, 로블, 브롤스타즈 등을 하는데 그맛에 학원다니는 정도로 짜릿하고 좋다. 이 습관 때문에 늦게 자는 것 같다. 중학교 올라가면 더 늦게 끝날텐데.. 걱정이다.

　두 번째는 바로 유튜브다. 분명 게임만 많이 하는데 왜 유튜브 보는 시간이 더 많은건지..미스테리하다. 유튜브는 대부분 영화리뷰, 쇼츠, 게임 관련된 영상을 많이 본다. 특히 그중 쇼츠를 가장 많이 보는데 알고리즘이 끝도 없다 보니 계속 보게 되는 것 같다. 영화리뷰는 대부분 전쟁에 관한 영화를 보는데 정말 볼때마다 웅자아고 재밌어 끊을수 없는 것 같다.

세 번째는 매일 밤, 11시를 기다리게 만들어주는 웹툰이다. 내 핸드폰 사용 시간을 보면 유튜브, 게임, 웹툰 이 3관왕이 자리를 차지하고 있다. 웹툰은 주로 네x버에서 따끈따끈한 쿠키를 굽거나, 새로운 웹툰을 찾거나, 정주행을 한다. 새로운 웹툰을 찾는 것도 꽤 재밌다. 찾다가 재밌는 걸 발견하면 최대 100화까지 보며 시간을 순삭시킨다. 만약 아무리 찾아도 재밌는게 없다면, 그때 정주행을 하며 행복한 시간을 보내곤한다.

네 번째는 캠핑이다. 매주 가는건 아니지만 자주 가고 갈때마다 너무 행복해 썼다. 캠핑에서는 주로 계곡에서 물놀이, 자연구경이나 텐트에서 논다. 그리고 역시 캠핑의 꽃, 숯불로 구운 고기를 먹어야 캠핑이 마무리된다. 몇몇 캠핑장에서는 송어잡기, 보물찾기 등의 체험을 하니 아빠가 캠핑을 좋아하시는것에 감사해야겠다.

다섯 번째는 내 취미인 레고 할때다. 래고는 끈기없는 내가 4살 때부터 현재까지 한 유일한 취미이다. 레고는 남이 만든 디오라마나, 수집한 레고들만 보거나, 중x나라만 봐도 재밌다. 하지만 역시 내가 주문한 레고가 올 때, 디오라마를 만들 때 그 외에도 스톱모션 등을 볼 때가 가장 행복하다.

여섯 번째는 바로 잘때다. 가장 자기 좋을때는, 게임 맘껏하고 잘 때, 물놀이하고 잘 때, 숙제 다 끝내고 잘때가 가장 편안하고 행복하다. 하지만 그와 반대로 가장 싫을때는 게임하다 억지로 잘 때, 일찍 잘 때 등이다. 그리고 나는 잠이 잘오는 ASMR을 듣는 것보다. 무서운 영상을 보고 난후에 더 잘오는 것 같다. 하지만 1 티어는 역시 학원 빠지고 잘 때 인것같다.

마지막 일곱 번째는 바로 숙제를 끝내거나, 많이 할때이다. 화, 목에는 영어숙제, 월수금에는 수학숙제, 토, 일에는 둘다 해야하는 절망적인 상황을 끝내고 게임이나 레고를 할때보다 짜릿한 순간 은 없는 것같다. 엄마의 잔소리로부터 벗어나 이때는 가장 행복 한 순간 중 하나 인 것 같다. 문제는 내가 숙제를 학원가는 날 에 벼락치기를 하기 때문에 그런 상황은 드물어 짜릿할 수 밖에 없는 것 같다.

제 17화 요즘 내 머리는 안녕한가요?

-내 머리야??-

오늘 주제는 유난히 어려웠다. 쓰고싶은게 너무 많은게 아니라 너무 없어서였다. 분명 고민을 써야하는데 요즘 고민이 없었다. 고민이 없는게 고민이라는게 무슨 뜻인지 깨달았다. 고민이 없으면 걱정이라도 있어야하는데 걱정도 없다. 매일 머리를 쥐어 짰지만 이번에는 더 쥐어짠 것같다., 머리를 쥐어짜니 생각난 걱정과 고민 등이 겨우 나와 다행이다.

머리를 쥐어짜 나온 첫 번째, 해야할일이다. 분명 많이 하는게 아니다 힘들다. 수학학원에 갔다가 숙제를 해야하는데 다음날로 미룬다. 또 과학 수행평가를 0점에 가깝게 맞은적도 있어 과학도 한번씩 공부해야하는데 귀찮다. 솔직히 초등학생이 과학공부까진 뭐 안해도 되지만 영어 공부도 안한다. 분명 저번화까진 영어학원 을 다니며 공부했는데 이번에 안한다 한 이유는.......

영어 학원을 끊었기 때문이다. 이렇게 매일 쳇바퀴처럼 반복되는 일상에 내가 언제 공부를 할지 의문이다.

그 다음 두 번째는 바로 미디어이다. 내 핸드폰 사용 시간 중 가장 많은 시간을 차지하고 있는 게임, 유튜브, 웹툰을 너무 많이 한다는 것이다. 사실 앞에 나온 공부, 방금 말한 3관왕들도 마음만 먹으면 해결할 수 있는데 그게 참 힘든것같다. 계속 유튜브를 보고, 넷플릭스도 보고, 게임 등을 하다보니 레고와 미디어가 내 머릿속을 지배하는 것 같다.

세 번째는 점점 빠르게 다가오는 졸업이다. 중학교에 위치부터가 맘에 들지 않아 중학교에 가기가 더더욱 싫다. 집에서 3분 거리인 중학교를 두고 교통편도 없고, 걷거나 자전거를 타야하며, 심지어 학교도 낡았으며 가까운 중학교보다 6배는 더 멀다. 매일 일찍 나가야하고 중학교도 과격한 남중이라는데.. 좀 쫄린다. 하... 중학교 가기싫어..

그 다음 네 번째는 꽤 자주 가지만 더 자주 가고픈 여행이다. 요즘 같이 캠핑 여행들을 다니던 형, 누나, 그리고 우리누나도 어느덧 중1, 중2, 고2이 되어 시험기간이 길다보니 예전처럼 가기가 힘들어 더더욱 그리운 것 같다. 예전에는 1년에 열 번은 넘게 갔는데 요즘은 많이 가야 4~5번 인 것 같아 예전으로 돌아가 그때로 돌아가 그때 더 많이 놀며 만끽하고 싶다.

쓰으읍...나도 곧 저렇게 될까.. 두렵기도 하다.

다섯 번째는 초등학교에서의 마지막 체험학습이다. 원래 롯x 월드로 갈 예정이였지만 무슨 이유에서인지 서울랜드로 간다. 롯x월드는 잘 아는데 서울랜드는 처음이라 좀 아쉽다. 마지막 체험학습이라 누구랑 갈지, 버스는 누구랑 탈지 한번씩 고민된다. 중학교 때도 가겠지만 초등학교만 반 친구들과 가는건 마지막이니 더 고민되는 것 같다.

여섯 번째는 내 신체이다. 일단 나는 키가 좀 작은편이다. 4학년 때 이후로 키가 작다고 놀림받은 적은 없지만 요즘 친구들 키를 보면 하... 현타가 온다. 또 키가 작은 것도 스트레스인데 매년 새학기마다 친구들을 놀라게 해주고, 가장 많이 물어보는 질문인 새치이다. 학교에선 신기하게 생각하는 걸로 끝나는데.. 학원에서는 하..한숨이 저절로 나온다.

지금까지 내 학교 생활을 생각해보면, 별탈없이 잘한 것 같다. 친구들과도 잘 어울리고, 성적도 그리 나쁜편은 아니며, 공부도 과학빼곤 뒤처짐 없이 잘한 것 같다. 또 저학년때보다 철도 좀 들었다. 하지만 저학년땐 당당했던 내가 코로나로 남들 시선을 좀 신경쓰며 약간 소심해진 것은 좀 나답지 않아 마음에 들지 않는다.

아무리 쥐어짜도 나오지 않았던 것이 한 개가 나오니 술술 나온 것 같다. 뭐 이런 것들이 내 머릿속에 있는 것이다.

제 18화   2학기 현장체험 학습

- 하..재밌었다...

히히 초등학교에서의 마지막 현장체험 학습이 끝났다. 비가 와서 못탔던 놀이기구가 많았지만 오히려 롤러코스터를 안타서 오히려 다행인 것 같다. 동물원만 가보고 서울랜드는 가보지 못했는데 긍정적으로 생각하면 놀이공원이 바뀐게 어쩌면 좋았던 걸지도 모르겠다. 아쉽지만 아쉽지만은 않았던 현장체험 학습이였다.

일어나고 싶지 않았던 아침이지만 오늘은 현장체험 학습을 가는 당일이기에 혼자 일어났다. 그리고 설레는 마음으로 평소보다 일찍 등교를 했다. 늦게온 친구들도 있었지만 지각까진 아니여서 별 문제없이 출발했다. 버스에선 게임빼고 자유여서 유튜브와 웹툰을 볼까 생각도 해봤지만 뭔가 양심에 찔려 친구들과 카톡을 하다가 도착했다. 1시간이 넘어서 도착해서 놀 시간이 줄어들었다는 생각에 뭔가 아쉬웠다.

도착한 후 우리 조는 에버랜드의 썬더폴스와 비슷한 급류타기로 뛰어갔다. 비가와서 그런지 사람이 거의 없어 1분만에 탔다. 썬더 폴스는 2~3번의 하이라이트 부분이 있었지만 급류타기는 1번이 끝이라 아쉬웠다. 원래 날씨가 좋을 때 젖는 놀이기구를 타면 좀 찜찜하지만 비가와 어차피 젖어 있던 상태에 물을 맞으니 오히려 상 쾌하고 짜릿했다. 하지만 우산이 어디론가 사라졌다.

그리고 해적소굴이란 사격 놀이기구를 탔지만 점수가 쓰읍..자존심 상하니 넘어가겠다. 해적소굴을 끝내고 돌아다니던중 다른조가 양 궁하고 있는걸 보고 5발을 쐈는데 나는 양궁은 절대 아니라는 것 을 알고 다른 놀이기구를 타러 계속 가고 다른 조를 만나 떠들었 다.

그 다음에 도깨비 바람을 타러갔다. 1~2시간 기달릴거 같았는 데 사람이 없어 우리조만 탔는데 롯데월드 자이로스윙급으로 황천 길이 보였다. 끝난줄 알았는데 더 빨리 돌았다. 다른 사람이 타는 걸 보기만해도 무서울 정도였다. 그리고 점심을 먹으러 갔는데 직 원이 불친절해 좀 불쾌했다.

그후 우리조에 여자의 비중이 더 많아 인생네컷을 찍으러 갔다. 소품을 쓰고 찍고 이상한 걸로 찍고 끔찍한 포즈를 하고 찍는 여 자애들도 보왔다. 처음에는 재미없을줄 알았는데 놀이기구를 많이 안타서 그런지 사실상 뭘 했는지 기억은 잘 안나지만 체험 학습 중에서 한것중 가장 재미있었던거 같다.

인생네컷을 찍고 "앨리스 원더 하우스"라는 곳에 갔다. 쉼 터인 줄 알았는데 착시현상과 미로가 있는곳이였다. 신기해서 원시인 소리를 내며 가다가 중간에 선생님이 내주신 미션도 하고 노이로제 걸릴 것 같은 미로를 통과하니 출구가 나왔다. 그후로는 시간도 애매해 카페에 갔다가 다시 하교하러 버스를 타러 갔는데 슬슬 다리가 아파오기 시작했다.

집에 오니 다리가 미친 듯이 아파 반신욕도 하고, 한방 핫팩도 해봤지만 다리는 여전히 아파 학원을 빠지고 싶었지만 최근 학원을 많이 빠지고 진도를 나가 빠질수 없었다. 분명히 뭔가 배웠는데 배운게 기억이 없었다. 집에서 게임 좀 하다가 떡실신 했다. 특별한 건 안 했지만 재밌었던 하루였다.

제 19화 나의 추석연휴
-내가 살면서 한 착한 일-

이번달 9월, 10월 달력만봐도 기분이 째진다. 왜냐하면 이번추석은 6일동안 쉬기 때문이다. 정확히는 추석 4일에 일요일이 빨간날이기 때문에 대체공휴일, 그리고 개천절까지 총 6일동안 쉴 수있는 아주 황홀한 날이다. 심지어 수필주제까지 딴짓 안하고 마음만 먹으면 술술 쓸 수 있는 하나부터 열까지 모두 마음에 드는 추석연휴다.

수요일 6일동안의 행복이 이어질 바로 전날이다. 들뜬 마음으로학교를 다녀온 후 학원에 가기전 할머니네 집에 가져갈 전과 LA갈비 등을 준비하고 지옥같은 학원을 다녀오니 6일의 행복이 코앞이다. 집에 와 친할머니네집에 갈 준비를 한 후 출발했다. 멀지않은 거리다보니 40분마에 도착했다. 친할머니와 친할아버지 그리고 작은엄마, 작은아빠, 그리고 귀염둥이 사촌동생 준우는 제주도에 있어 친할머니네 집에서 우리 가족끼리 잤다.

54

분명 할 수 있는 말은 엄마, 아빠, 할아버지밖에 모르던 준우가 어느새 말도 알아듣고, 말도 했다. 본지 5개월만에 어휘가 많이 늘어 놀랐다. 오후 9시쯤 나와 아빠는 준우가 좋아하는 팝콘을 사러갔다. 준우는 달을 볼 때마다 신기해하며 웃고, 딸!달이라고 했다. 진짜 천하를 얻은 듯했다. 그리고 팝콘을 산후 집에와 팝콘을 든 후 "주세요 해봐"라고 하니 그 작은 손으로 손을 모으며 "주떼요"라고 하며 내 심장을 지적했다.

그리고 금요일, 일어나니 준우가 나를 반겼다. 내가 본 아기중에 가장 귀여운 것 같다. 아침을 먹고 준우와 까꿍놀이, 자동차로 놀다보니 점심이 다가왔다. 할머니 단지 앞에 생긴 마라탕, 꿔바로우를 포장해 누나 아빠 할아버지와 먹고 준우와 놀며 힐링했다. 솔직히 안지칠줄 알았는데 계속 움직이니 지쳤다. 근데 그래도 행복했다. 그리고 저녁에 엄마가 준비해온 전과 LA갈비 등을 먹은 후 조립하려고 가져온 레고 짱구집을 조립하다가 잤다.

준우를 볼 마지막 날 토요일, 준우가 나를 깨웠다. 더 자고 싶었는데 준우가 깨우니 바로 일어나 레고를 완성시킨 다음 준우와 레고로 놀았다. 자전기 레고를 보고 따르릉 따르릉 거리는데 아~ 지금도 눈앞에서 아른거린다. 작은 엄마와 작은아빠가 잠깐 나가 계실 때 준우는 우리 엄마와 산책을 했는데 잠들었다. 그때 작은 엄마와 작은 아빠가 오셨는데 준우가 자는걸 아시고는 바로 출발했다. 인사도 못해서 아쉬웠다.

그 후 우리도 6시쯤 출발했다. 200km 더 먼 외할머니네라 4시간을 걸릴줄 알았는데 2시간쯤 자니 도착해 있었다. 사촌과 외숙모, 외삼촌과 인사를 한 후 좀 놀다가 자니 일요일이었다. 때마침 이 날이 장날이라 장에 가 여러 가지를 사고 이마트에 가서 점심을 먹었다. 그리고 누나와 사촌들이 쇼핑갔는데 진짜 1시간 30분동안 쇼핑하고 나는 기다리고 있으니 너무 화났다. 어쨋튼 그리고 저녁 거리를 산 후 다시 집으로 돌아왔다.

 그리고 저녁에 할머니네 집 마당에서 숯불로 구운 삼겹살과 소고기를 먹었는데, 진짜 기가 막혔다. 그리고 사촌들, 누나, 엄마, 외숙모와 마피아 , 출석부 등의 게임을 하고 자니 월요일이 다가왔다. 일어나 아침을 먹고, 외할아버지 묘에 다녀 온 후, 집으로 출발했다. 중간에 휴게소에 들렸더니 5시간이 걸렸다. 그리고 저녁에 사촌네 집에 가 논후, 집에 와 잤다. 길고도 짧았던 추석 연휴였던 것 같다.

제 20화   3일동안 우리말만 사용하기! 한글날 챌린지
-이거 가능한건가-

캬 이번 2주동안은 매우 짜릿하다. 6일 동안 쉬는 추석연휴에 다음주는 한글날이 껴있다. 그래서 그런지 이번 주제는 색다르다. 바로 "3일 동안 우리말만 사용해보기"이다. 전에 친구들과 10분 정도만 하거나 빨간색 로고에 많은 동영상을 휴대전화로 보기만 했는데 막상해보니 쉽지 않았지만 재미도 있었던 3일 이였던 것 같다.

첫 번째 날, 누나와 엄마는 누나의 친구들과 자동차 숙박 시설로 놀러갔다. 나는 농구학원을 다녀와 아빠와 튀긴 돼지고기를 먹고 동네 한바퀴를 돈 후, 집에 와 씻고나서 수학숙제를 하니 6시였다. 수학숙제를 끝낸 홀가분한 마음으로 내일 갈 캠핑에 필요한 용품을 하기 위해 노란색로고의 대형상점에 갔다.   영어를 사용할 뻔했지만 다행히 잘 넘어갔다.

그리고, 집에 와 막대기 빵을 먹으며 빨간색 로고의 동영상을 보다가 동양경기의 야구 결승전, 축구결승전을 봤는데 두 경기 모두 금 목걸이여서 기분 좋은 마음으로 휴대전화로 하는 전자 오락을 하다가 새벽 1시에 잤다. 그리고 다음 날, 아침 일찍 일어나 엄.. 캠핑 간다라고 말해서 실패했다. 뭐 아.쉽.게 실패 했으니 다시 시도해야겠다. 어쨌든 같이 가기로 한 주완이 형네 집으로 갔다. 9인승 이상 자동차에 6명 이상이 타면 다인승 대형차량 도로로 갈수이있어 9인승 이상 차량인 형네 차로 갔다.

다인승 대형차량 도로로 가니 3시간 이상 걸릴 거리를 2시간 만에 왔다. 도착한 후 밖에서 천막을 쳐 야영하는 곳에 도착했다. 비가 올줄 알았는데 비가 안와 그늘 천막은 안쳤다. 도착한 후 의자와 책상을 설치하니 배가 고파 1시쯤 아점으로 닭강정, 닭목살을 먹었다. 그 후에 불멍하고, 휴대전화보다 큰 전자기기로 총으로 전자오락을 즐겼다.

전자 오락을 하고있었는데, 어른들이 근처에 있는 절, 법주사에 가보자고 했다. 신라시대때 법흥왕이 지은 절인데, 막상 대부분은 불에 타 신라시대때 만든 것 중 남아있는 건 오직 석물조각 뿐이였다. 그 후 더 둘러보니 우리나라에 유일하게 남아있는 목탑, 팔상전, 금동미륵익상, , 석련지 등이 있었다. 설명하자면 너무 기니 넘어가겠다.

절에 다녀 온 후, 피곤해서 잤더니 벌써 저녁이였다. 배가 뚝히 안고팠지만 제주도에서 온 고기니 좀 먹고, 주완이형네 집에 가기 위해 의자, 책상 등을 접은 후, 형네 차에 있는 노래방 기계로 노래를 부르다 보니 벌써 도착해 있었다. 주완이 형, 주연이 누나랑 오락을 k며 놀다보니 엄마와 누나도 왔다. 주완이형, 주연이 누나, 우리 누나와 음료도 마시고, 어른들 심부름을 하러 나갔다 왔다.

그 후, 형, 누나들과 가장 큰 전자기기로 춤추는 가수가 춘 직관 동영상을 보다가 넷이서 전자기기로 총으로 하는 전쟁 오락을 했다. 1~2며이서 하면 좀 재미없는데, 4명이서 하니 평소보다 훨씬 재밌었던 것 같다. 그 후, 새벽에 잡에 오자마자 떡실신 했다. 비록 다음날은 월요일이지만 학교, 학원을 안가도 도니 기분이 째졌다.

하지만 치명적인 사실이 있었다. 바로 일어난 시각이 오후 1시였다. 친구들과 놀기로했는데 졸려서 좀 더 자다 일어났다. 휴대전화를 보니 친구들의 부재중이 엄청났고 노란색 로고의 문자에도 짜증내고 있었...다. 쓰읍 사과하고 집에서 놀다보니 자정이였다. 한번씩 한글만 쓰며 한글의 중요성을 느껴보는 것도 나쁘지 않은 것 같다. 이번 주제는 쉽지만 어려웠던 것 같다. 학그래도 잘하는 편인 것 같았다.

제 21화 논설문
-SNS 사용의 문제점-

SNS는 전세계 인구의 60% 이상이 사용할 정도로 많은 사람들이 이용하는 플랫폼이다. SNS가 주는 편안함, 소통 등의 장점들도 있는 반면, 반대로 이를 악용하거나 SNS중독으로 일어난 사고, 사람들과의 소통이 감소하는 SNS의 문제점을 알아보도록 하겠다.

첫째, 사이버 폭력이 일어날 수 있다.
현실에서 폭력을 사용한 후 피해자의 모습을 보면 죄책감이 들 수 있지만 사이버 폭력은 온라인이기 때문에 상대방이 얼마나 피해를 받는지 알기 힘들다. 실제로 이에 대해 조사를 한 결과, 사이버 폭력 가해 후, 40%가 죄책감을 느끼지 않는다는 조사 결과가 나왔다. 또한 한 서울대학교 심리학과 교수의 말에 따르면, 죄책감을 느끼지 않으면 별거 아니라는 생각을 가지기에 사이버 폭력은 폭행보다 재발할 확률이 높다. 그렇기에 현재 SNS사용으로 인한 자살률도 높아지고 있다.

둘째, SNS중독이 일어난다.

실제로 KBS뉴스에서 학생들을 대상으로 조사를 한 결과, 5명 중 1명은 SNS중독이라는 결과가 나왔다. 또한 과한 SNS사용으로 인해 뇌구조도 바꾼다는 연구결과가 나올 만큼, SNS중독문제는 심각하다. 과한 SNS사용으로 시력저하, 두뇌저하, 거북목, 척추측만증 등의 병을 유발할 수 있고, 이러한 병은 우리 일상생활도 방해할만큼 심각한 문제이다. 또한 SNS중독을 치료해주는 스마트폰 쉼 센터도 전국에 17곳밖에 되지 않기에, SNS를 멈추긴 힘들 수밖에 없다.

이처럼 SNS는 사이버 폭력, SNS중독으로 인한 신체저하, 거북목 등의 다양한 악영향을 끼치기도 하는 플랫폼이기에 우리는 SNS 사용을 조절하거나 , 헨드폰을 내려놓고 친구, 부모님, 혹은 선생님과 대화를 하여 중독을 예방하거나, 치료하는 방법도 있다. 그러니, SNS를 조심하여 사용하자.

제 22화 내 짝 관찰일지

-학교에서 스토킹?-

이번 수필 주제는 음..특이하고 참신하면서 쓸데없는 흥미를 자극시키는? 어려운 주제인 것 같다. 그래도 그나마 매우 친하거나 오래된 친구라면 나왔을텐데 아무것도 모르는 모범생같은 친구였다. 쓰으읍...그래도 한달동안 짝꿍인 친구일테니 긍정적으로 생각하며 관찰하기로 했다.
절대 기분 나쁘라고 쓴게 아닙니다

첫째, 생김새다. 노력이라도 하기위해 하이클래스와 내 기억을 더듬어본 결과, 일단 성별은 여자에 핑크색 안경을 쓰고 있다. 그리고 몸은 왜소한 편이며 내가 생각하는 전형적인 모범생 상이다. 그리고 머리를 쥐어짜도 설명을 못하겠어서 수소문해본 결과, 동물로 따지면, 약간 생쥐상인 것 같다.

두 번째는 성격이다. 확실히 키가 작은편이고 몸도 왜소하며 모범생같다보니 착한 것 같다. 그래서 그런지 다른 친구들을 잘 도와주는 편이고, 물품을 잘 빌려주는 것 같다.(삥 뜯기는건가)

아 어쩌면 그냥 거절을 잘 못하는 마음이..약한? 친구인 것 같다. 또 쉬는시간, 수업시간 등등 모든 6학년 학년 학교 생활을 통틀어도 큰 소리 한번 낸적없는 없는 조용한 친구인 것 같다.

세 번째는 절친이다. 생각해보니 소개가 좀 늦었지만 내 짝궁의 이름은 "황예은"이다. 성이 ㅎ 이다 보니 번호도 51~62번 중 61번이다. 그래서 그런지 절친도 비슷한 면이 많이 보이는 "하이안"이다. 두명의번호도 61, 62번으로 끝번호이고, 생일도 비슷한 7, 8월인데 8월이 방학이라 7, 8월 생파를 같이한 끈끈한(?) 사이인 것 같다.

네 번째, 평소에 하는 행동이다. 이 주제의 가장 큰 문제는 짝궁의 평소 활동이 규칙적이라는 것이다. 평소 활동향이 낮고, 매 쉬는 시간마다 바뀌는게 없다. 매일 한 의자에 절친과 함께 앉아서 수다, 바느질 등 꽁냥꽁냥? 등을 하는 것 외에는 진짜 변화구가 없다. 실제로 물어본 결과, 자신도 모르겠다고 한다..

다섯 번째, 예은님의 취미다. 솔직히 순서가 많이 잘못된 것 같긴 하지만 갈아엎기엔 너무 멀리와 그냥 쓰겠다. 취미는 관찰과 수소문을 한 결과, 만들기인 것 같다. 실제로 관찰해보니 점심시간, 쉬는 시간 등에 수해평가인 바느질을 많이 하는걸보니 끈기가 상당한 편인 것 같다.

마지막 여섯 번째, 공부다. 모범생 같아서 모든 면에서 다재다능할 줄 알았지만 1~2개는 완벽하지만은 않은 인간적인 면모를 보여주었다. 하지만 모든면에서 노력하는 노력파라 공부는 잘하는 것 같다. 다른건 몰라도 끈기와 노력면에서는 좀 부러운 것 같다.

어쩌다보니 생기부(생활기록부)를 쓰는 선생님에 빙의된 것 같게 만드는 등 신기한 경험을 느끼게하는 주제인 것 같다. 솔직히 까자면 문단을 채우기 위해 쓸데없는 말들을 적는 꼼수를 쓰긴 했지만 다음에 기회가 된다면 한번쯤은 더 할수 있을 것 같은 흥미롭고 좀 즐거운 주제인 것 같다.

제 23화 나는 몇점짜리 행복한 사람인가요?

-몇점일까~~요?-

하..이번만큼은 날먹 좀 하려했는데 주제를보니 날먹하긴 글른 것 같다. "나는 몇점짜리 행복한 사람인가?" 어릴때는 쓰기 쉬웠을 것 같은데 지금 같이 걱정 많은 나이에 한문단도 쓰기 힘든데 8문단이라니...후.. 이번만큼은 어릴때처럼 동심으로 돌아가 쉽게 쉽게 생각해야할 것 같다.

양수인 점수가 들어간 항목 중 첫 번째, 바로 미디어다. 매일 11시를 기다리게 만들어주는 웹툰, 내 시간을 살살 녹여주는 유튜브, 대부분이 열광하며 재밌는 게임이있으니 +25점 아니 다시 생각해보니 11시 넘어서 자게하고 시간을 살살 녹여 인생을 망치니 안좋은 것도 있었다. 쓰읍.. -10점 히히 그래도 수필 다 쓰고 게임할 생각에 신난다. *폐인 맞음*

양수인 점수가 들어갈 항목 중 두 번째, 여행이다. 뭐..요즘은 누나의 시험기간, 학원 등의 이유로 옛날에 갔던 횟수에 한탐 못 미치지만 그래도 한달에 한번씩은 캠핑, 바다 숙소 등을 가니 이 정도면 행...복한거지 +10점 생각보니 요즘 한달에 한번도 안될 때가 있긴했지만 긍정적으로 생각하겠다.

양수인 점수가 들어갈 항목 중 세 번째, 건강이다. 일단 난 아 루런 문제없이 건강하게 태어났으니 행복하다. 또 코로 숨을 쉴 수 있고 눈을 볼 수 있고 귀로 들을 수 있으며 손으로 만질수 있 고 입으로 맛을 느낄수 있는 오감이 모두 문제없이 낫게 해주신 부모님께 감사하며 +25점

양수인 점수가 들어갈 항목 4번째, 바로 내가 태어난 나라다. 무슨 뜻이냐면, 아프리카처럼 열약하고 가난해 살기 힘든 나라에 서 태어나거나, 북한처럼 패쇄적인 국가에서 태어나지 않고 자유 롭고 소매치기가 거의 없는 국가인 대한민국에 태어났으니 +25 점. 근데 공부에 진심인 나라니 -10점

후후 지금까지 점수를 후하게 준 이유..학원애서 갚아먹기 위해 서다. 이제 음수인 점수가 들어갈 항목 첫 번째, 학교다. 현재학교 가 싫은건 아니지만 곧 중학생이 되기 때문에 받는 압박감 심지어 낡고 과격하고 친한친구와도 거의 떨어져있으니 걱정이다. 그러니 , -10점

다음은 학원이다. 학원 2개를 다니지만 공부하는 학원은 수학학원뿐이라 시간도 널널~하고 숙제도 별로 없어 행복하지만 +10점 엊그제 시험을 보고 친구들과 답 맞춰보니 4개 이상 틀려서 기분이 좋지않다.... -15점..큰 시험을 보고도 2주 후 또 시험 볼 생각하니 하..-25점

분명 쓸때는 오후 12시 10분이였는데 수필을 다 쓰니 오후 8시 45분 중간에 밥도 먹고 카톡도 좀 하긴했지만 끝나고 게임하려 했는데 평소 오래 걸려도 7시간이였는데 8시간 30분 최장시간이다. 후~뭐 그래도 점수를 합산해보니 71점, 그럭저럭한 점수인 것 같다. 후 그래도 게임하러 가야지

제 24화 20년 후 우리반 동창회
-수필의 끝-

히히 오늘은 특별한 날이다. 왜냐하면, 이번 수필이 마지막이기 때문이다. 주말마다 머리를 쥐어짜지 않아도 될 생각에 신나면서 막상 마지막이니 아쉽기도 하다. 마지막이여서 그런지 주제도 20년 후 우리반 동창회다. 어떻게 쓸지 감이 전혀 안 온다. 그래서 헛소리가 들어갈수 있으니 이해해주길 바란다.

20년 후 동창회의 첫 번째, 바로 선생님이다. 선생님은 항상 모든일에 최선을 다하셔 최근, 교육부 장관이 되셨다. 교육부 장관이 되신지 얼마 안되셔 동창회에 안 오실까 조마조마 했는데 다행히 참여하셨다. 그 다음으로 리후님이 오셨다. 놀랍게도 리후님은 로또에 당첨되셔서 올때부터 심상치 않은 드라이브 실력으로 람보르기니를 타고 오셨다. 또 다음으로 겨루기로 금메달을 딴 나일님이 오셨다. 우리반 남자들 중 군면제이신 분은 나일님뿐 일 것 같다.

그 다음으론 과학자 민규님, 위대하신 500만 유튜버 태환님이 오셨다. 방금 방송하고 오셨는데도 텐션이 폭발하신다. 이거시 프로 유튜버? 또 베이커리집 하신다는 승한님, 테슬라에 취직하셔서 올 때 신형 전기차를 타고 오셨다. 잠만 우리 음주 할건데?

그 후로 장기연애 후 결혼까지 골인하신 시우님은 유부남이라 허락을 못 받았는지 불참하셨다.

그 후 우진님도 해외에서 축구경기 뛰시느라 불참하셨고 인혁님은 다행히 오셨다. 그 후로 준호님, 종현님 등 남자들은 아마 거의 다 온 것 같다. 아쉽지만 여자분들 중 유주님, 주연님은 불참하셨고 최근 어린이 작가 중 유명한 희연님, 다미님, 화장품 사장이신 채민님은 오시자마자 화장품을 광고하시며 친구들에게 뿌렸다.

그리고 국내에 얼마 안 남은 사진관을 운영하시는 서영이 오셨다. 이따 헤어질 때 동창회 사진 찍어주신다고 하신다. 그리고 다이빙 선수 서현님, 의사 윤솔님, 한솔님, 또 예은님과 파티시에가 되신 이안님까지 총 19명이왔다. 동창회 장소는 크루즈였다. 대부분 흔하지 않은 고연봉 직업들을 가지다 보니 크루즈를 대여했다.

크루즈 위에서 친구들과 와인, 위스키, 칵테일 등을 마시니 뭔가 마음이 뭉클해지려 했는데 갑자기 철없는 친구들이 가위바위보로 입수빵을 하자고 했다. 비록 감동은 사라졌지만 그래도 다행히 입수빵은 리후님이 당첨 되셨다. 결과를 보시자마자 도망가셨지만 어차피 독 안에 든 쥐라 10분만에 잡혔다. 도망가지 못하게 양쪽 팔을 잡고, 소리 지르기도 전에 바로 입수 시켰다.

리후님은 수영을 못해 당연히 탈출을 못할테니 서현님이 다이빙을 하시며 리후님을 구했다. 크루즈 안 칵테일 바에서 옛날 추억을 회상하며 이야기를 하고 11시쯤 밖에 나가 위스키를 마시며 옵션에 추가한 불꽃놀이를 봤다. 폭죽이 다 터지고 난 후 우리는 근처에 있는 서영님네 사진관에 가 동창회 사진을 찍었다. 각각 한 장씩 갔고 나가려는데 비용을 내란다.

장사 영업이였다. 어쨌든 그 후 6-4반때 각별히 친했던 친구들과 태환님네 집에 가려고 했는데 내쫓혔다. 어쩔수 없이 불참하신 시우님네 집에 허락을 맡고 들어간 후 시우님을 연행해 2차로 어른들의 키즈카페로 갔다. 그후 새벽 4시쯤 번호 교환 후 집에 왔다.

솔직히 이야기하면 직업소개, 동창회 이야기 모두 좀 지루한 것 같고 헛소히가 가득한데 다시 쓰기엔 너무 멀리 온 것 같다.
그래도 5시간은 족히 걸렸으니 이해바란다. 20년 후 미래에도 6-4반 모두가 동창회 했으면 하는 마음으로 마지막 수필을 마친다. 이상 마지막 수필 20년 후 동창회였다.